Reading & Interpretation
大家写小书·马恩经典著作新读

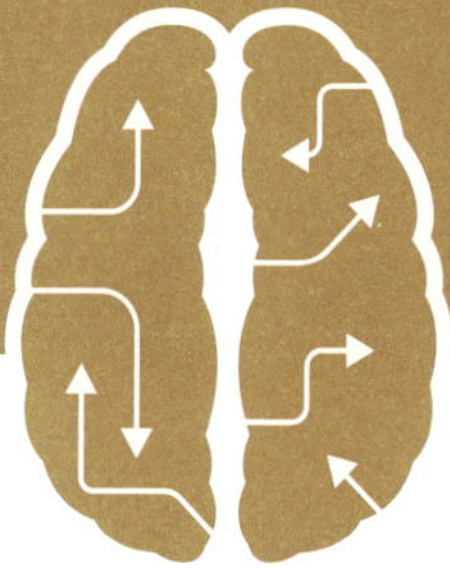

丛书主编 顾保国

读懂中国的理论基点

《马克思恩格斯论中国》新读

王易 单文鹏 著

红旗出版社

红旗出版社
HONGQI PRESS
推动进步的力量

图书在版编目(CIP)数据

读懂中国的理论基点：《马克思恩格斯论中国》新读 / 王易，单文鹏著．—北京：红旗出版社，2020.1（2021.4重印）
（大家写小书 / 顾保国主编．马恩经典著作新读）
ISBN 978-7-5051-5041-6

Ⅰ.①读… Ⅱ.①王… ②单… Ⅲ.①马恩著作－中国－问题 Ⅳ.①A164

中国版本图书馆CIP数据核字(2019)第263702号

书　　名　读懂中国的理论基点
《马克思恩格斯论中国》新读
著　　者　王　易　单文鹏

责任编辑　周婷婷　　　　从书统筹　丁　鋆
责任校对　曾晓蓉　　　　特约编审　希　言
责任印务　金　硕　　　　装帧设计　戴　影
出版发行　红旗出版社
地　　址　北京市沙滩北街2号　　　　邮政编码　100727
　　　　　杭州市体育场路178号　　　邮政编码　310039
编 辑 部　0571-85310806
E－mail　1793516722@qq.com　　　发 行 部　0571-85311330
图文排版　杭州兴邦电子印务有限公司
印　　刷　浙江全能工艺美术印刷有限公司
开　　本　889毫米×1194毫米　1/32
字　　数　52千字　　　　印　　张　2.375
版　　次　2020年1月第1版　　　　印　　次　2021年4月第3次印刷
ISBN 978-7-5051-5041-6　　　　定　　价　20.00元

从经典著作中汲取斗争智慧

（丛书序）

习近平总书记在2019年秋季学期中央党校（国家行政学院）中青年干部培训班开班式上发表重要讲话时指出，“斗争精神、斗争本领，不是与生俱来的。领导干部要经受严格的思想淬炼、政治历练、实践锻炼，在复杂严峻的斗争中经风雨、见世面、壮筋骨，真正锻炼成为烈火真金。要学懂弄通做实党的创新理论，掌握马克思主义立场观点方法，夯实敢于斗争、善于斗争的思想根基，理论上清醒，政治上才能坚定，斗争起来才有底气、才有力量”。

经典著作体现了马克思主义立场观点方法，不仅包含着明确的问题意识、经典的分析方法，而且包含着斗争精神。这种斗争精神既体现了事物本身的复杂性，也体现了人类智慧的深刻性。虽然马克思主义诞生在一个半世纪之前，但迄今依然有着强大的生命力，被历史和现实一再证明是科学的理论，这其中一个重要原因就在于其科学的理论思维和强大的斗争精神。马克思主义经典著作是经典作家探索真理的丰富思想结晶，彰显了马克思主义经典作家坚定的政治立场、政治信仰和献身共产主义事业的政治品格和伟大的斗争精神。习近平总书记在纪念马克思诞辰200周年大会上的讲话中指出：“共产党人要把读马克思主义经典、悟马克思主义原理当作一种生活习惯、当作一种精神追求，用经典涵养正气、淬炼思想、升华境界、指导实践。”这就要求我们，提高学习马克思主义理论的能力，学思践悟，做马克思主义的信奉者、继承者、实践者和发展者。当严峻形势和斗争任务摆在面前时，骨头要硬，要敢于出击，敢战能胜。

近年来，马克思主义经典阅读热潮悄然兴起，再次凸显马克思主义经典著作编译的重要意义和时代价值。习近平总书记在中央政治局第五次集体学习时指出：“要深化经典著作研究阐释，推进经典著作宣传普及，让理论为亿万人民所了解所接受，画出最大的思想同心圆。”准确理解习近平总书记这一重要论述，需要我们深刻把握研究、阐释经典著作的时代要求，进一步加强经典著作宣传普及，使广大人民群众更深刻地感悟马克思主义的真理力量和斗争精神。

恩格斯曾说：“一个民族要想站在科学的最高峰，就一刻也不能没有理论思维。”理论思维能力不是天生的，而是后天培养和训练出来的。马克思主义经典著作是人类思想的精华，它深刻揭示了自然界、人类社会、人类思维发展的普遍规律。习近平总书记在2011年中央党校春季学期第二批入学学员开学典礼上强调，“阅读经典著作，本身就是增长知识、开阔眼界、增加思想深度和训练思维方式的过程，就是培养高瞻远瞩的战略洞察力和脚踏实地的工作作风的过程”。广大党员干部要提高斗争能力，必须高度重视通过学习马克思主义经典著作来提高自己的理论思维能力。

当今世界正处于百年未有之大变局，我们党领导的伟大斗争、伟大工程、伟大事业、伟大梦想正在如火如荼地进行，改革发展稳定任务艰巨繁重，我们面临着难得的历史机遇，也面临着一系列重大风险考验。各级领导干部要想在这些风险、困难和挑战面前赢得优势、赢得主动、赢得未来，就必须坚定马克思主义信仰和共产主义理想，不断提高运用马克思主义分析和解决实际问题的能力，不断提高运用科学理论指导我们应对重大挑战、抵御重大风险、克服重大阻力、化解重大矛盾、解决重大问题的能力，以更宽广的视野、更长远的眼光来思考把握未来发展面临的一系列重大问题，这就迫切要求领导干部自觉增强学习和运用马克思主义的本领，掌握马克思主义的斗争精神。广大党员干部特别是领导干部要学好用好《共产党宣言》等马克思主义经典著作，坚持学以致用、用以促学，原原本本学，熟读精思、学深悟透，熟练掌握马克思主义立场观点方法，不断提高马克思主义理论素养。因此，我们要系统掌握和努力实践马克思主义理论，真正把马克思主义这个看家本领学精悟透运用好，提升自己的斗争能力，并推动马克思主义不断发展。

提高把思想理论转化为实践的斗争能力，画出最大的思想同心圆，是坚持和发展马克思主义的现实要求，也是实现中华民族伟大复兴这一中国梦的思想基础。马克思主义经典著作卷帙浩繁，对于广大干部、群众来说，学习要突出重点。我们提倡读马列经典著作，并不是一定要求每位干部去全面读《马克思恩格斯全集》《列宁全集》或《马克思恩格斯文集》《列宁专题文集》。学马列要精，要管用。“精”，是指要读经典著作，经典篇目；“管用”，就是要结合具体、实际工作，有针对性、有目的地学以致用。例如，从总体上把握马克思主义，需要读

《马克思主义的三个来源和三个组成部分》;掌握无产阶级的革命理论,要读《共产党宣言》;了解马克思主义哲学世界观,要读《哲学笔记》《唯物主义和经验批判主义》《反杜林论》《路德维希·费尔巴哈和德国古典哲学的终结》;掌握马克思主义政治经济学,要读《政治经济学批判》《资本论》等。因此,我们第一辑选择了十本原著,组织国内有关院校的权威专家撰写导读,并由红旗出版社公开出版这批学习马克思主义经典著作的权威性辅导教材。

马克思主义是认识世界、改造世界的强大思想武器。在人类思想史上,没有一种思想理论像马克思主义那样对人类产生了如此广泛而深远的影响。原原本本学习和研读马克思主义经典著作,不断深化对共产党执政规律、社会主义建设规律、人类社会发展规律的认识,不断提升思想水平和斗争能力,真正把马克思主义这个看家本领学精悟透运用好,我们就能更有定力、更有自信、更有智慧,在习近平新时代中国特色社会主义思想指导下,实现“两个一百年”奋斗目标,确保中华民族伟大复兴的巨轮始终沿着正确航向破浪前行,胜利驶向光辉的彼岸。

红旗文稿杂志社社长 顾保国

2019年11月

目　录

前言

中国是卡尔·马克思、弗里德里希·恩格斯在理论研究和革命实践中长期关注的国家，他们在对中国社会情况的整体把握和深入思考的基础上，发表过一系列文章和论述。《马克思恩格斯论中国》汇集了马克思、恩格斯有关中国的文章和论述，是马克思、恩格斯研究中国问题成果的集成，是马克思、恩格斯运用辩证唯物主义和历史唯物主义基本原理分析具体社会历史事件、特定民族地区历史命运的光辉典范。

马克思、恩格斯就中国问题所作的系列科学判断和精辟论述，对于我们今天深刻领会马克思主义的立场、观点和方法，正确认识中国近现代史的主流和本质、经验和教训，从而全面理解中国人民在艰辛探索中所作的历史选择，毫不动摇地坚持中国特色社会主义道路，具有十分重要的现实意义。他们对中华民族寄予的殷切期望，在近代以来中国人民前赴后继的斗争中，特别是在中国共产党领导的革命、建设、改革事业中一步一步变成现实。他们创立的科学理论，在中国人民的伟大实践中得到了创造性的运用和发展，必将指引我们走向更加辉煌的明天。

Reading & Interpretation

大家写小书·马恩经典著作新读

第 一 章

《马克思恩格斯论中国》的写作背景

理论源于现实。马克思、恩格斯关注和研究处于遥远的东方中国，与当时的社会历史条件和他们所担当的历史使命是分不开的。西方资本主义发展的疯狂飙进，殖民扩张进入新阶段，中国被迫卷入世界市场，这是马克思、恩格斯关注和研究中国问题的根本原因，也是《马克思恩格斯论中国》的重要写作背景。同时，与1848年欧洲革命遭到失败、工人运动陷入低潮也不无关系。马克思、恩格斯将目光投到东方，特别是中国，关注被压迫民族的命运，希望从中找到无产阶级革命的希望和曙光。此外，《马克思恩格斯论中国》也是马克思、恩格斯谋求生计的机缘结果，马克思作为《纽约每日论坛报》的特约通讯员，处于风口浪尖的东方中国是其观察和研究的重要焦点。

一、中国是资本主义生产方式下世界市场的最后一块拼图

自18世纪60年代开始，西方国家相继进行了工业革命。工业革命及其发展过程，其实就是以英国为首的资本主义国家开辟新的原料市场和商品市场、逐步夺取世界殖民霸权的过程。发展落后的亚、非、拉广大地区被强行纳入资本主义体系，是工业革命所带来的必然结果，中国成为英国殖民者侵略与掠夺的对象，也是难以主宰和逃脱的。随着1840年至1842年第一次鸦片战争的爆发，英国殖民者利用中国人民发展的火药打开了中国的“大门”，从而将中国强行拉入资本主义世界体系之中。自此，由资本主义国家制定规则的“朋友圈”中，多了一个以自然经济为主的生产力水平低下、尚处于日益衰

微的封建制度的大国——中国。为了满足西方资本主义生产的发展，加紧对海外原料市场和商品市场的强占和掠夺，1856年至1860年，英国又联合法国发动了规模更大的第二次鸦片战争，让这个曾经以地域广阔、物产丰富、人口众多、文明璀璨著称的东方大国，进一步成为任人宰割的鱼肉，走向日暮途穷的崩溃边缘。

两次鸦片战争的爆发，加上1851年至1864年中国爆发的世界历史上规模空前的太平天国农民起义，让这个闭关锁国的东方大国失去了最后一层神秘面纱，全世界的目光再次投射在这片土地上。马克思、恩格斯把剖析资本主义生产方式作为自己的理论兴趣和历史使命，而要真正揭示资本主义生产方式的内在矛盾和发展趋势，就必须站在世界历史的高度去进行研究，这就必然涉及处于资本主义生产链条上的中国。为此，马克思、恩格斯以鸦片战争为着眼点和切入点，围绕两次鸦片战争的起因、进程、直接后果以及在世界范围内造成的广泛影响，对涉及中国社会变革的时代条件、国际环境、民族特征和发展前途等一系列重大问题，进行深刻剖析，发表了一系列文章和论述。这是马克思、恩格斯关注和研究中国问题的根本原因，也是《马克思恩格斯论中国》成书的最重要的写作背景。

二、中国是无产阶级革命斗争理论和实践需求的组成部分

从19世纪二三十年代开始，世界各地的革命运动已成为不可阻挡的历史潮流。处于西班牙、葡萄牙统治下的拉丁美

洲率先掀起了独立革命运动。在拉美人民浴血奋战的斗争下，拉美国家纷纷取得了独立，这就极大地缩小了西方列强的殖民阵地范围，这也势必加紧他们对世界其他尚未沦陷为殖民地半殖民地地区的争夺。此外，欧洲工人群众的革命运动蓬勃兴起。1831年和1834年的法国里昂工人起义，1836年至1848年的英国宪章运动，1844年的德国西里西亚纺织工人起义，标志着无产阶级开始作为一支独立的政治力量登上历史舞台，开始显示出无产阶级的伟大历史作用。在欧洲三大工人运动中，无产阶级提出了自己独立的政治经济要求，冲击着资本主义制度，无产阶级反对资产阶级的斗争由此进入了一个新的阶段。但是，这三次大规模的工人运动均以失败而告终，其根本原因就在于没有革命理论的指导。由此，创立建立在科学基础上的革命理论，就成为无产阶级的迫切需要。

知识链接 ……………………………………………

★ 欧洲三大工人运动 ★

欧洲三大工人运动，即法国里昂工人两次起义、英国宪章运动、德国西里西亚纺织工人起义。

法国里昂工人两次起义：1831年和1834年，法国里昂工人反对资本主义剥削压迫的两次武装起义。里昂是法国丝织业中心，在工场主和包买商的残酷剥削下，丝织工人和手工业者生活极为困苦。1831年初，里昂工人掀起了一场以要求提高工价为主要内容的运动，工人多次举行集会、请愿、游行活动。10月，工人们与包买商谈判达成最低工价协议，但在七月王朝商业大臣的支持下，包买商撕毁协议。1831年11月21日，工人举行抗议示威活动，在遭到军警的镇压后，工人们被迫发动武装起义。经过3天战斗，工人一度占领里昂城，但起义很快被七月王朝政府调来的军队所镇压。1834年4月9日，里昂再度爆发工人起义，政府逮捕和审判罢工领袖，发布禁止工人结社集会的法令。这次起义具有更鲜明的政治性质，工人们提出建立共和政体的口号。起义工人同政府军进行了6天激战，终因力量悬殊被政府军镇压，起义惨遭挫败。但起义在巴黎和法国的许多其他地区引起强烈反响，推动了法国工人运动的发展。里昂工人的两次起义表明，法国无产阶级开始作为一支独立的政治力量登上历史舞台。

英国宪章运动：1837年6月，伦敦工人协会拟订了一个争取普选权的文件，即《人民宪章》。宪章提出6点要求：年满21岁的男子均有选举权；投票应秘密进行；按居民人数平均分配选区，每区选派一名议员；国会每年举行一次改造；废除议员候选人的财产资格限制；议员领取薪俸。1838年5月，《人民宪章》以法案形式公布后，得到了广大工人群众的热烈支持。1839年2月4日，宪章派在伦敦召开了第一次代表大会，通过了全国请愿书。请愿书公之于众后，立即在全国掀起了签名运动。宪章运动开始后，出现过三次高潮。第一次：1839年7月12日，国会否决了请愿书，消息传出后，伯明翰工人举行了起义，各地群众举行罢工示威活动，宪章运动出现了第一次高潮。不久，政府派出大批军队镇压了起义，逮捕宪章派领袖，运动转入低潮。第二次：在1841年至1842年经济危机的推动下，工人阶级掀起了第二次宪章运动的高潮。1842年4月12日，宪章派在伦敦举行了第二次代表大会，向国会提出请愿书。除了坚持《人民宪章》的6项要求外，他们还提出了废除"新济贫法"、取消劳动院、要求政教分离、取消什一税（一种宗教捐税），甚至提出了取消资本家对土地和生产资料独占等的要求。然而,国会又否决了请愿书,宪章派领导机构号召工人举行总罢工,进行抗议活动,但由于政府派军队镇压了罢工,运动再次转入低潮。第三次:1848年初,全国宪章协会恢复活动,筹备第三次请愿,第三次请愿书宣布,劳动者对自己的劳动成果享有优先权,权力的唯一来源是人民;工人群众还提出了建立共和国的要求,宪章运动形成了第三次高潮。但宪章派的右翼领导人屈服于政府的武力威胁,力劝工人解散,致使运动夭折。随后,政府下令解散宪章派组织,并大肆逮捕宪章派积极分子,宪章运动归于失败。

德国西里西亚纺织工人起义:1842年德国发生饥荒,仅西里西亚就饿死6000人,"饥民暴动"时有发生。1844年6月初,西里西亚部分纺织工人迫于无奈要求增加工资,带工头以殴打工人作为回答,引起了广大工人的不满。1844年6月4日,西里西亚彼特斯瓦尔道和朗根比劳两个纺织村镇爆发了3000多名工人参加的武装起义。工人们捣毁工厂主的工厂、住宅和机器,焚烧了票据、账簿,以简陋武器迎战前来镇压的政府军。6月6日,政府调来大批增援部队,在血腥镇压下,起义宣告失败。

继欧洲三大工人运动相继失败之后,旨在反对君主政体的1848年欧洲革命,从意大利西西里岛燃起,然后扩展到意大利其他地区及德国、法国、奥地利等国家。虽然法国取得胜利,但是绝大多数欧洲国家的革命最后都以失败告终,各国统治阶级对工人运动进行了残酷镇压,欧洲进入最黑暗的反动时期。这再次印证了:没有革命理论的指导,无产阶级就不可能取得革命的胜利。1849年8月至11月,马克思、恩格斯相继来到伦敦。在这里,他们总结革命的经验和教训,丰富和发展他们创立的科学理论，为迎接新的斗争高潮进行了思想上和理论上的准备。同时，马克思、恩格斯鉴于欧洲革命的失败、工人运动陷入低潮这一客观实际，在研究制定无产阶级革命策略和原则的过程中，将目光更多地投向东方，关注被压迫民族的命运，希望从中找到革命的希望和曙光。因此，马克思、恩格斯从无产阶级斗争理论和实践需要的实际出发，在中国问题上花费大量心血，他们对中国问题的研究也构成了他们革命思想与革命实践的重要环节。这是《马克思恩格斯论中国》的又一重要写作背景。

知识链接

★ 1848 年欧洲革命 ★

19 世纪中叶，欧洲各个国家的资本主义经济获得了很大的发展，大工业革命已经在整个欧洲扩展，资产阶级的力量越来越强大。资产阶级力量的强大，必然对政治上的地位提出要求，但是当时欧洲还处于封建专制王朝统治时期，很多国家还处于殖民地状态，受到其他民族的压迫，于是在欧洲的封建王朝政治体制内，社会矛盾变得越来越尖锐，革命的爆发成为必然。1848 年 1 月，西西里首先爆发了反抗国王费迪南多二世专制统治的革命。1848 年 2 月，法国爆发了著名的二月革命，之后，德国、奥地利等国家也发生了革命，在革命不断高涨的形势下，这场革命迅速燃烧了整个欧洲。1848 年欧洲革命是资产阶级领导的，由于资产阶级的软弱性和妥协性，最终革命者向封建势力妥协，使得革命的果实最终被封建势力窃取，同时革命也遭到了强大的封建势力的围剿，最终这场革命以失败告终。

三、中国是作为特约通讯员的马克思所必须观察和研究的重要焦点

马克思、恩格斯开始关注和研究中国问题，除了与当时西方资本主义发展的客观需要、无产阶级革命斗争对革命理论的迫切需要等原因有关之外，与马克思、恩格斯谋求生计的机缘也是分不开的。前面提到过1849年马克思到达伦敦，开始了他研究生涯和革命岁月中著名的“伦敦时期”。马克思和他的家人生活一向拮据，在伦敦时期，尤其是刚到伦敦的时候，马克思和家人的困窘相当严重。马克思这样描述这一时期艰难的生活：“一个星期以来，我已达到非常痛快的地步：因为外衣进了当铺，我不能再出门，因为不让赊账，我不能再吃肉。”[①] 正是因为生活上的窘迫，马克思应美国记者朋友德纳之邀，成为纽约每日论坛报驻伦敦的特约通讯员，以获取相对稳定的收入来维持家用。

由于工作性质和报纸发行的需要，纽约每日论坛报社要求马克思多写作一些时事政论性的文章。两次鸦片战争的爆发，加之世界历史上规模空前的太平天国农民起义，中国自然而然就成为马克思重点关注的对象之一。马克思于1853年至1862年先后写了一系列专题文章，这些文章是作为通讯报道或者社论发表出来的。有别于当时的西方媒体，马克思撰写的这些有关中国的报道是站在真实客观的立场上作出的科学评论。习近平总书记在纪念马克思诞辰200周年大会上的讲

① [英]戴维·麦克莱伦：《马克思传》，王珍译，北京：中国人民大学出版社，2005年，第240页。

话中明确指出:“马克思撰写了十几篇关于中国的通讯,向世界揭露西方列强侵略中国的真相,为中国人民伸张正义。”①马克思全面分析了两次鸦片战争,尤其是第二次鸦片战争的起因、过程和结果,包括西方列强特别是英国对华政策;同时,通过中国人民对侵略者的反抗、清王朝腐朽落后的无能表现,科学地分析了战争的性质,并对中国社会的历史、当时的国情和未来走向给予了判断和预测,让世界人民既更加真实全面地了解帝国主义发动战争的本真面目,也尽可能全面客观地解读处于遥远东方的中国。需要说明的是,马克思这一时期仍然时常陷入英文不好的苦恼,所以发表在《纽约每日论坛报》上的许多文章大多是由恩格斯帮助翻译完成的,当然也包括一些恩格斯个人的作品。正是这种谋求生计的机缘,让马克思、恩格斯更加注意观察和研究中国问题,发表一系列有关中国问题的文章论述,构成了《马克思恩格斯论中国》的主要内容。

延伸阅读

(1)《马克思恩格斯选集》第1卷,北京:人民出版社,2012年。

(2)《马克思恩格斯论中国》,北京:人民出版社,2018年。

(3)[英]戴维·麦克莱伦:《马克思传》,王珍译,北京:中国人民大学出版社,2005年。

① 习近平:《在纪念马克思诞辰200周年大会上的讲话》,《人民日报》2018年5月5日,第2版。

深度思考

（1）马克思、恩格斯关于中国问题的论述是在什么历史条件和时代背景下写成的？

（2）马克思、恩格斯生活在特定的历史时代，那个时代的客观条件对他们的研究是否有所影响和制约？

（3）中国为什么成为马克思、恩格斯在理论研究和革命实践中长期关注的国家？

Reading & Interpretation

大家写小书·马恩经典著作新读

第 二 章

《马克思恩格斯论中国》的内容介绍

马克思、恩格斯关于中国问题的文章和论述，是他们留给后人的重要思想遗产，历来为各国研究者和出版者所关注。1937年，莫斯科外国工人出版社首次用中文出版了《马克思恩格斯论中国》，翌年在我国延安解放社重新印发。中华人民共和国成立后，这个专题选编本曾由人民出版社多次修订再版。1997年，中央编译局在这个版本的基础上对马克思、恩格斯有关中国问题的文章和论述重新进行精选，编成了《马克思恩格斯论中国》，由人民出版社出版。为了适应读者学习和研究的需要，2015年，人民出版社在吸收1997年版编译成果的基础上，重新选编和校对，同时整理和补充"重要论述辑录"的内容，出版了《马克思恩格斯论中国》新版选编本。2018年马克思诞辰200周年之际，人民出版社再次修订再版。

《马克思恩格斯论中国》由两大部分构成。第一部分是"专题文章汇编"，选编了马克思、恩格斯从1853年5月至1862年7月撰写的有关中国的18篇文章，这些文章大多刊发于美国的《纽约每日论坛报》，只有1篇，即马克思的《中国记事》，刊发于奥地利维也纳的《新闻报》，具体包括《英中冲突》《议会关于对华军事行动的辩论》《英人在华的残暴行动》等文章。马克思、恩格斯基于大量文函，还原了英国政府发动对华战争的策划过程，揭露了英国政府为掩盖其罪恶目的编造的种种谎言。在《欧洲的金融危机——货币流通史片断》《帕麦斯顿内阁的失败》《英国即将来临的选举》《鸦片贸易史》《英中条约》《新的对华战争》《对华贸易》《英国的政治》《中国记事》等文章中，马克思、恩格斯援引大量文献资料和统计数据，揭露鸦片贸易的危害和鸦片战争的实质，指出英国政府发动战争的根本目的是强占海外市场、掠夺资源与财富，以满足资产阶级的贪欲，同时还披露了资产阶级新闻的本质特征。在《中国和英国的条约》《俄国在远东的成功》《俄国的对华贸易》等文章中，马克思、恩格斯则谴责西方列强对中国进行的侵略和掠夺，特别指出沙皇俄国侵吞中国领土和财富的野心和阴谋。在《中国革命和欧洲革命》《波斯和中国》《英人对华的新远征》等文章中，马克思、恩格斯表达了对中国人民反抗斗争的同情和支持，并在全面分析近代中国社会状况的基础上，预测了中国及中国革命的未来命运。

第二部分是"重要论述辑录"，精选了马克思、恩格斯从19世纪40年代至90年代撰写的各种著作和书信中有关中国的重要论述。这部分论述分为三辑：第一辑是19世纪40年代至60年代的著作中有关中国问题的论述，第二辑是《资本论》中有关中国问题的论述，第三辑是19世纪60年代至90年代的著作中有关中国问题的论述。这些论述涉及中华文明对世界文明的贡献、近代中国社会经济结构的特征和长期停滞的原因、资本主义生产方式对中国社会的冲击和影响、鸦片战争的罪恶实质和中国历史的转折、西方列强侵略中国的罪恶行径和中国人民反抗侵略和压迫的斗争及其深远意义。

基于对《马克思恩格斯论中国》的整体把握，下面从马克思和恩格斯关于近代中国社会经济结构的研判、关于对华鸦片贸易罪恶实质的披露、关于西方列强入侵中国行径的论析、关于中国人民反抗侵略斗争的论述、关于中国革命及其前途命运的预测、关于对西方资产阶级新闻本质的揭露这六方面进行详细阐释，以期更好地理解马克思和恩格斯关于中国问题论述的主要内容。

一、关于近代中国社会经济结构的研判

马克思、恩格斯基于对中国对外贸易的详尽考察，运用历史唯物主义的观点，深入研判了近代中国的社会经济结构。马克思明确指出，近代中国社会的经济结构是“依靠小农业与家庭工业相结合而存在的”[①]，其主要特点：

一是小农业和家庭工业相结合的社会经济结构以自给自足为主要特征。在中国，自给自足的自然经济占据着主导地位，农民通过自己劳动生产，一方面生产自己所需要的农产品，另一方面生产自己所需要的大部分手工业品。这就决定了以劳动产品交换为主要特征的商品经济在近代中国社会是没有生存空间的，能够适应近代中国社会发展需要的只能是自给自足的自然经济。正如马克思引用米切尔的话所说明的那样，“中国人的习惯是这样节俭、这样因循守旧，甚至他们穿的衣服都完全是以前他们祖先所穿过的。这就是说，他们除了必不可少的以外，不论卖给他们的东西多便宜，他们一概不要”[②]。“福建的农民不单单是一个农民，他既是庄稼汉又是工业生产者。他生产布匹，除了原料的成本外，简直不费分文……他是在自己家里经自己的妻女和雇工的手而生产这种布匹的；既不要额外的劳力，又不费特别的时间。在他的庄稼正在生长时，在收获完毕以后，以及在无法进行户外劳动的雨天，他就让他家里的人们纺纱织布。总之，一年到头一有可利

①《马克思恩格斯选集》第1卷，北京：人民出版社，2012年，第843页。

② 同①，第845页。

用的空余时间，这个家庭工业的典型代表就去干他的事，生产一些有用的东西。”[①]“这些有利情况，再加上他们特别刻苦耐劳，就能充分满足他们衣食方面的简单需要。”[②]马克思援引米切尔这一论述，在生动鲜活地描述近代中国农民生活的真实状况的同时，也客观反映了近代中国社会经济结构的本质特征。

二是小农业和家庭工业相结合的社会经济结构是专制集权制度的经济土壤。在中国漫长的封建社会发展中，基于以小农业和家庭工业相结合的自然经济，孕育形成了以家长制、宗法制和中央集权制为主要标志的专制集权制度。马克思在对中国革命和欧洲革命的考察中，认为：“正如皇帝通常被尊为全中国的君父一样，皇帝的官吏也都被认为对他们各自的管区维持着这种父权关系。”[③]专制集权制度得以形成的根本原因在于自给自足的社会经济结构。一方面，千百万农民和家庭手工业者通过自己劳动生产，大部分劳动所得以税收徭役的形式交付于封建专制主义政权，这样就使得封建专制政府集中了庞大的财富，来巩固专制集权上层建筑；另一方面，千百万农民和家庭手工业者自己劳动、自己生产、自己使用，不存在相互间的劳动产品交换，这使他们联络、集结的可能很小，很大程度上保证了封建社会的稳定，为加强专制集权提供了安稳的社会环境。所以，封建专制主义政权利用一切手段打击和扼杀将会动摇或者摧毁这种经济基础的因素，极力维

① 《马克思恩格斯选集》第1卷，北京：人民出版社，2012年，第846页。

② 同①，第846～847页。

③ 同①，第779页。

护这种以小农业和家庭工业相结合的社会经济结构。另外，封建专制主义政权还听任各级官员凭借税收、贡纳、徭役等手段，对农民巧取豪夺，以维护封建统治阶级的利益。归根到底，中国封建社会的专制集权制度是建立在小农业和家庭工业相结合的社会经济结构基础上的，没有这种经济基础，全部封建专制主义上层建筑就会分崩离析。

三是小农业和家庭工业相结合的社会经济结构具有相对稳定性。以小农业和家庭工业相结合的社会经济结构为核心的经济基础和与之相对应的封建专制主义中央集权，使中国封建社会绵延长达两千多年，鲜明地表现了这种社会经济结构内在的相对稳定性。

马克思在谈到印度公社时说，"这些田园风味的农村公社不管看起来怎样祥和无害，却始终是东方专制制度的牢固基础，它们使人的头脑局限在极小的范围内，成为迷信的驯服工具，成为传统规则的奴隶，表现不出任何伟大的作为和历史首创精神。我们不应该忘记那些不开化的人的利己主义，他们把全部注意力集中在一块小得可怜的土地上"[①]。当时中国社会的情景不也正是这样的吗？所以，正是由于小农业和家庭工业相结合的社会经济结构的稳定性，才使得中国封建社会长期稳定不变。但是，当西方资本主义国家发生根本变化时，偏安于世界东方的古老中国成了西方列强竞相掠夺的原料产地和商品市场，无缚鸡之力的手足在轰鸣咆哮的大机器面前显得那般软弱无力，中国封建社会赖以维系的经济基础似乎

① 《马克思恩格斯选集》第1卷，北京：人民出版社，2012年，第853～854页。

失去了一向稳定的“魔法棒”。随着西方资本主义国家相继完成工业革命，强占原料产地和商品市场、掠夺殖民地成为他们向外扩张的主要目的。鸦片战争的炮火把奉行闭关锁国的中国大门炸开了，就这样，“随着鸦片日益成为中国人的统治者，皇帝及其周围墨守成规的大官们也就日益丧失自己的统治权”[①]。“满族王朝的声威一遇到英国的枪炮就扫地以尽，天朝帝国万世长存的迷信破了产，野蛮的、闭关自守的、与文明世界隔绝的状态被打破，开始同外界世界发生联系，这种联系从那时起就在加利福尼亚和澳大利亚黄金的吸引之下迅速地发展起来。”[②]如果没有西方外来势力的冲击，小农业和家庭工业相结合的社会经济结构在内在相对稳定性的惯性带动下，可能还会延续一段时间。

二、关于对华鸦片贸易罪恶实质的披露

马克思、恩格斯援引大量文献资料，列举各种统计数据，以铁的事实说明了：英国对中国进行鸦片贸易，旨在掠夺中国财富，毒害中国民众，进而侵犯中国主权。马克思在《鸦片贸易史》中引用英国人蒙哥马利·马丁的话，明确地指出：“‘奴隶贸易’比起‘鸦片贸易’来，都要算是仁慈的。”[③]

一是从无到有、由少及多，鸦片贸易的无耻和残酷尽显无遗。马克思对中外鸦片贸易史作了详细的考察和研究，他在《鸦片贸易史》中说：“在1767年以前，由印度输出的鸦片数量

---

①《马克思恩格斯选集》第1卷，北京：人民出版社，2012年，第779页。

② 同①。

③ 同①，第802页。

不超过200箱，每箱重约133磅。中国法律许可鸦片作为药品输入，每箱鸦片抽税3美元左右。”①随着东印度公司被指派同中国进行鸦片贸易，“1800年，输入中国的鸦片已经达到2000箱”②。进入19世纪，鸦片贸易和鸦片走私活动更加猖獗，世界上的毒贩子都在向中国走私鸦片。“1820年，偷运入中国的鸦片增加到5147箱，1821年达7000箱，1824年达12639箱。”③而“在1824年到1834年的10年当中，就由12639箱增加到21785箱”④，鸦片贸易以惊人的速度在10年之间，实现了翻一番的走私目标。就在鸦片贸易和鸦片走私活动不断推进的过程中，前面提到的东印度公司的命运发生了转变。1834年，“东印度公司不仅在那一年失去了经营中国茶叶的特权，而且必须完全停止一切商务。由于东印度公司从商务机构改组为纯粹的政府机构，对华贸易就向英国私人企业敞开了大门”⑤。这些企业较之于东印度公司有过之而无不及，他们“干得非常起劲，尽管天朝政府拼命抵制，在1837年还是把价值2500万美元的39000箱鸦片顺利地偷运进了中国”⑥。就这样，在东印度公司和英国驻华商务监督的先后保护下，鸦片贸易以触目惊心的速度震惊着整个世界。马克思曾义愤填膺地说：“这种贸易，无论就可以说是构成其轴心的那些悲惨冲突而言，还是就其对东西方之间一切关系所发生的影响而言，在人类历史记

① 《马克思恩格斯选集》第1卷，北京：人民出版社，2012年，第803页。
② 同①，第804页。
③ 同①，第805页。
④ 同①，第805页。
⑤ 同①，第805～806页。
⑥ 同①，第806页。

录上都是绝无仅有的。”①

知识链接

★ 东印度公司 ★

东印度公司(以下简称公司)是存在于1600～1858年的英国贸易公司,是英国在印度和中国以及亚洲其他国家经营垄断贸易、推行殖民主义掠夺政策的工具。从18世纪中叶起,公司拥有军队和舰队,成为巨大的军事力量。以公司的名义,英国殖民主义者完成了对印度的占领。该公司长期控制着同印度进行贸易的垄断权和印度最主要的行政权。它的贸易和行政特权由英国议会定期续发的公司特许状规定。由于公司管理中的独断专行、经营不善,加之19世纪初日益强大的英国工业资产阶级迫使印度对外“开放”,致使东印度公司的权力和影响日渐削弱。因此,英国资产阶级要求扩大对华贸易,提倡自由贸易。1833年8月23日,英国议会通过了取消东印度公司对华贸易特权的法案,该法案自1834年4月22日开始实施。1853年下院辩论印度法案时的焦点是今后英国在印度的统治形式问题,因为1853年4月30日是东印度公司特许状的截止日期。1857～1859年,印度的民族解放起义迫使英国改变殖民统治形式,于是公司被撤销,印度被宣布为英王的领地。

二是伪善面孔、标榜文明,鸦片贸易是英国谋求巨额利润的真实野心。英国既是对华鸦片贸易的发动者,又是对华鸦片贸易最大的推动者,更是对华鸦片贸易的受益者。但是英

①《马克思恩格斯选集》第1卷,北京:人民出版社,2012年,第803页。

国政府“挂羊头卖狗肉”，高调地撇清关系。马克思深刻地揭露了英国政府标榜文明的基督教伪善面孔。正如马克思指出的：“作为帝国政府，它假装同违禁的鸦片贸易毫无关系，甚至还订立禁止这种贸易的条约。”[①]而实际上，英国政府不仅极力垄断对华的鸦片贸易，甚至不惜以各种手段扩大自己的贸易收益，满足自己对于资本原始积累的需要。“它严密地垄断了这种毒品的全部生产，借助大批官方侦探来监视一切：种植罂粟，把罂粟交到指定地点，按照中国吸食者的口味提炼和调制鸦片，把鸦片打成便于运输的货包，最后运往加尔各答，由政府拍卖，国家官吏把鸦片移交给投机商人，然后又转到走私商人手里，由他们运往中国。”[②]“英国政府公开宣传毒品的自由贸易，暗中却保持自己对毒品生产的垄断……它的‘自由’说到底就是垄断。”[③]

三是难以弥补、无法愈合，鸦片贸易给中国人民留下了巨大历史伤痕。英国对中国的鸦片贸易给中国和中国人民带来了巨大的创伤。就连英国人都曾这样论述道：“不是吗，‘奴隶贸易’比起‘鸦片贸易’来，都要算是仁慈的。我们没有毁灭非洲人的肉体，因为我们的直接利益要求保持他们的生命；我们没有败坏他们的品格、腐蚀他们的思想，也没有毁灭他们的灵魂。可是鸦片贩子在腐蚀、败坏和毁灭了不幸的罪人的精神存在以后，还杀害他们的肉体。”[④]大量的鸦片输入毒害了中国

---

①《马克思恩格斯选集》第1卷，北京：人民出版社，2012年，第807页。

② 同①，第807页。

③ 同①，第808页。

④ 同①，第802页。

人民的身体，消磨了中国人民的意志，使得在腐朽的封建统治和残暴的列强侵略面前，他们变得麻木、庸怠、堕落。除了对中国人民的残害外，大量的鸦片输入，也使得中国的白银不断外流，国库虚空，清王朝的统治摇摇欲坠。于是，“中国政府在1837年、1838年和1839年采取的非常措施——这些措施的最高潮是钦差大臣林则徐到达广州和按照他的命令没收、销毁走私的鸦片”①。这次禁烟运动，点燃了英国蓄谋已久的鸦片战争，进而带来的直接结果就是“中国发生了起义；帝国国库完全空虚；俄国顺利地由北方进犯；鸦片贸易在南方达到巨大的规模”②。在内外交困、风雨飘摇的动荡中，沉迷于天朝美梦的清王朝一步步向着灭亡的日子靠近，接踵而来的是一次又一次生灵涂炭的列强凌辱，一个又一个丧权辱国的耻辱条约。

三、关于西方列强入侵中国行径的论析

在鸦片贸易的刺激下，西方列强的“胃口”已经不能仅仅通过走私鸦片来获得满足。接踵而至的是西方列强对中国一次又一次的侵占和掠夺。马克思、恩格斯在有限的资料基础上，对西方列强入侵中国的行径，尤其是第二次鸦片战争，作了深刻的揭露和具体分析，揭示了这是一场“海盗式”③侵略的战争实质。

一是制造亚罗号事件，为英国发动侵华战争提供“引信”。马克思在《英人在华的残暴行动》中这样写道：“亚罗号

---

①《马克思恩格斯选集》第1卷，北京：人民出版社，2012年，第806页。

② 同①，第806～807页。

③ 同①，第826页。

划艇是一只中国小船，船员都是中国人，但是为几个英国人所雇用。这只船曾经取得暂时悬挂英国国旗航行的执照，可是在所谓的'侮辱事件'发生以前，这张执照就已经满期了。"[1]正如马克思所描述的，中国水师在一艘航行执照已过期的悬挂英国国旗的船上对涉嫌走私的12名中国人进行了抓捕，就遭到了英国领事巴夏礼的挑衅。其给出的理由是中国无权在英国船只上抓人，他们的另一个莫须有的罪名是英国国旗被扯下了。就这样，英国侵略者以此为借口，发动了对广州的攻击，第二次鸦片战争就此爆发。马克思明确指出："这场极端不义的战争就是根据上面简单叙述的理由而进行的……广州城的无辜居民和安居乐业的商人惨遭屠杀，他们的住宅被炮火夷为平地，人权横遭侵犯，这一切都是在'中国人的挑衅行为危及英国人的生命和财产'这种站不住脚的借口下发生的！"[2]马克思相信，包括"英国政府和英国人民——至少那些愿意弄清楚这个问题的人们——都知道这些非难是多么虚伪和空洞"[3]。面对这一事件，也存有企图转移本质问题的不一样的声音，他们似乎在强调，亚罗号事件之前英国就已遭到来自中国的大量伤害。对此，马克思直接指出："这些不分青红皂白的说法是毫无根据的。英国人控告中国人一桩，中国人至少可以控告英国人九十九桩。"[4]

①《马克思恩格斯选集》第1卷，北京：人民出版社，2012年，第791页。

② 同①，第792～793页。

③ 同①，第793页。

④ 同①，第793页。

二是"换约"幌子难掩英法列强蓄谋已久的侵略行为的事实真相。继炮轰广州事件，在《天津条约》签订一年之后，英法两国公使打着"换约"的幌子，在英国远征军的"护送"下朝着北京的方向逼近。在天津大沽口炮台处，这支远征军在明知故犯的情况下，动用武力强行登陆。但是，让他们始料未及的是，"约有2万蒙古军队做后盾的大沽炮台除去伪装，向英国船只进行毁灭性的轰击。陆战水战同时并举，打得侵略者狼狈不堪"①。遭到重创的英国方面，自然不会善罢甘休，他们叫嚣着："大不列颠应该对中国海岸线全面进攻，打进京城，将皇帝逐出皇宫，取得物质上的保证，以免将来再受侵犯……我们应该用九尾鞭抽打每一个敢于侮辱我国民族象征的蟒衣官吏……应该把他们〈中国将军们〉个个都当做海盗和凶手，吊在英国军舰的桅杆上……无论如何总得采取恐怖手段，我们已经过分宽大了！……应该教训中国人尊重英国人，英国人高中国人一等，应该做他们的主人。"②也不知道是谁给他们的权力，可以如此嚣张？就算《天津条约》规定允许英国公使可以直接前往北京，中国政府反抗英国舰队强行驶入白河，存有不妥或者违反条约规定的地方吗？马克思指出，"从大陆邮班传来的消息中可知，中国当局不是反对英国使节前往北京，而是反对英国武装船只上驶白河"③，"抵抗英国人的武装远征队也是完全有理的。中国人这样做，并不是违背条约，而是挫败入

---

①《马克思恩格斯选集》第1卷，北京：人民出版社，2012年，第827页。

②同①。

③同①，第828页。

侵”[1]。试问:“难道法国公使留驻伦敦的权利就能赋予他率领一支法国武装远征队强行侵入泰晤士河的权利吗?”[2]答案一定是否定的。所以,“换约”只是英法美等列强包装他们侵略行径的幌子。

三是趁火打劫将俄国在西方列强炮火刺激下的侵略野心展现得淋漓尽致。马克思在总结上述英中战争时就曾明确指出:“当英国硬逼天朝人签订了天津条约而受到普遍祝贺的时候,我曾试图说明:实际上从这次海盗式的英中战争中取得实利的唯一强国是俄国,英国根据条约所得到的商业利益是很微小的。”[3]俄国在第二次鸦片战争的炮火中趁火打劫,攫取了较之于英、法等直接发动者都要多的利益。用马克思的话来说就是:“从目前同中国人发生的冲突中,俄国不要花费一个钱,不用出动一兵一卒,到头来能比任何一个参战国都得到更多的好处。”[4]俄国人仰仗中国自古以来反感海上冒险、青睐内地陆地贸易的传统,在同中国的贸易中已然成为赢家。但是在第二次鸦片战争中,俄国的侵略野心再一次膨胀,逼迫清政府签订《瑷珲条约》。根据《瑷珲条约》,黑龙江以北、外兴安岭以南60多万平方公里的大清国领土划归俄国,乌苏里江以东约40万平方公里的大清国领土划为清俄共管。这样依然无法满足俄国的侵略“胃口”,仅隔两年后,俄国又逼迫清政府签订《中俄北京条约》,前面提到的那块“共管”之地彻底成为俄国

---

① 《马克思恩格斯选集》第1卷,北京:人民出版社,2012年,第828页。

② 同①。

③ 同①,第826页。

④ 同①,第786页。

的独享土地。就这样，俄国在相继逼迫清政府签订的《瑷珲条约》《中俄天津条约》《中俄北京条约》中，“以处于弱者地位的中国人的无私保护人身份出现，而且在缔结和约时俨然以调停者自居”①，实现了“不但英、法所得的一切明显利益，不管是什么，俄国都有份，而且俄国还得到了黑龙江边的整个地区，这个地区是它早已悄悄占领的”②，“大小等于法德两国加在一起的领土和一条同多瑙河一样长的河流”③。由此可知，俄国的侵略野心在趁火打劫中展现得淋漓尽致。

知识链接

★《瑷珲条约》★

鸦片战争之后，俄国成立“黑龙江问题特别委员会”，加紧侵吞中国黑龙江地区，夺取通往太平洋的出海口。1858年5月，乘英法联军进犯天津、威胁北京之际，俄国东西伯利亚总督穆拉维约夫率领多艘兵船驶至瑷珲，向清政府提出俄方拟订的条约草案，宣称以黑龙江为边界，如果不从，俄国将联合英国对华作战。1858年5月28日，清政府被迫与穆拉维约夫在瑷珲签订《瑷珲条约》。其共3条，主要内容为：

第一，黑龙江以北、外兴安岭以南60多万平方公里的大清国领土划归俄国，瑷珲对岸精奇里江（今俄罗斯结雅河）上游东南的一小块地区（后称江东六十四屯）保留大清国方面的永久居住权和管辖权；

---

①《马克思恩格斯选集》第1卷，北京：人民出版社，2012年，第822页。

② 同①，第824页。

③ 同①。

第二,乌苏里江以东的大清国领土划为清俄共管;

第三,原属大清国内河的黑龙江和乌苏里江只准大清国和俄国船只航行。

《瑷珲条约》使中国的领土主权蒙受重大损害,而俄国从中获得巨大的领土利益和黑龙江、乌苏里江的航行权,以及通往太平洋的出海口。《瑷珲条约》的签订,为沙俄进一步掠夺中国领土开了一个罪恶的先例。其后,俄国通过1860年《中俄北京条约》、1864年《中俄勘分西北界约记》等不平等条约,又侵占了中国乌苏里江以东地区和外西北地区大片领土。

四、关于中国人民反抗侵略斗争的论述

马克思、恩格斯在对西方列强入侵中国的罪恶行径进行深刻揭露的同时,也怀着深切的同情关注中国人民反对外国侵略的斗争和人民革命,尤其是热情地关心和支持中国的农民起义。恩格斯在《波斯与中国》一文中曾就中国反抗侵略的斗争明确表示:“这是‘保卫社稷和家园’的战争,这是一场维护中华民族生存的人民战争。”[①]

一是西方列强的炮火摧毁天朝上国的迷梦。西方列强通过第一次鸦片战争和第二次鸦片战争强迫清政府签订了一系列不平等条约,中国由一个庞大独立的封建主义国家逐渐沦为半殖民地半封建国家,“满族王朝的声威一遇到英国的枪炮就扫地以尽,天朝帝国万世长存的迷信破了产”[②]。西方列强的炮火,在加深中国人民苦难的同时,也极大地冲击了专制主

① 《马克思恩格斯选集》第1卷,北京:人民出版社,2012年,第798页。

② 同①,第779页。

义的国家政权，加速了封建主义中央集权的解体过程。正如恩格斯所指出的那样，“摇摇欲坠的亚洲帝国正在一个一个地成为野心勃勃的欧洲人的猎获物。这里又有一个这样的帝国，它很虚弱，很衰败，甚至没有力量经受人民革命的危机，在这里，就连一场激烈爆发的起义也都变成了看来无法医治的慢性病；它很腐败，无论是控制自己的人民，还是抵抗外国的侵略，一概无能为力”[①]。如果说，天朝上国迷梦破碎的直接原因是西方列强的炮火，那么中国长期实行闭关锁国的政策，昧于时势、安于现状、惯于因循、耽于幻想甚至甘于自欺的精神状态，也为天朝上国迷梦被摧毁提供了土壤。就像马克思所指出的那样，“与外界完全隔绝曾是保存旧中国的首要条件，而当这种隔绝状态通过英国而为暴力所打破的时候，接踵而来的必然是解体的过程，正如小心保存在密闭棺材里的木乃伊一接触新鲜空气便必然要解体一样”[②]。同样，马克思还进一步指出：“一个人口几乎占人类三分之一的大帝国，不顾时势，安于现状，人为地隔绝于世并因此竭力以天朝尽善尽美的幻想自欺。这样一个帝国注定最后要在一场殊死的决斗中被打垮。”[③]就这样，在长期闭关锁国的大背景下，随着西方列强的炮火，中国开始走向衰落。同时，也使中国人民加速惊醒，促进了中国社会内部革命因素的萌发。

二是中国人民奋起反抗外国侵略者的侵略和掠夺。随着中国社会内部革命因素的滋长，中国人民不再屈于忍受西方

①《马克思恩格斯选集》第1卷，北京：人民出版社，2012年，第822页。

② 同①，第780～781页。

③ 同①，第804页。

列强残忍的杀害和腐败软弱的清政府的无情镇压，不断地开始同侵略者进行殊死搏斗。马克思、恩格斯对中国人民反抗外国侵略的斗争给予了高度关注，指出：在19世纪中叶的中国，“压抑着的、鸦片战争时燃起的仇英火种，爆发成了任何和平和友好的表示都未必能扑灭的愤怒烈火”①。恩格斯高度赞扬了第一次鸦片战争的最后一战——镇江保卫战。1841年8月，英国远征军由香港出发，通过占领厦门、舟山岛，企图溯江而上直指南京。但在镇江，他们遇到中国军民的奋勇抵抗。“驻防旗兵虽然不通兵法，可是决不缺乏勇敢和锐气。这些驻防旗兵总共只有1500人，但却殊死奋战，直到最后一人。他们在应战以前好像就已料到战斗的结局，他们将自己的妻子儿女绞死或者淹死；后来从井中曾打捞出许多尸体。司令官看到大势已去，就焚烧了自己的房屋，本人也投火自尽。在这次战斗中，英军损失了185人，他们为了对此进行报复，在劫城的时候大肆屠杀。”②镇江保卫战虽然难以摆脱失败的宿命，但它充分展示了中国人民不畏强敌的英勇气概。恩格斯断言：“如果这些侵略者到处都遭到同样的抵抗，他们绝对到不了南京。”③如果假设成立，自然也就不会有中国历史上第一个不平等的条约——《南京条约》。但是到了第二次鸦片战争时，中国人民的情绪就有明显改观了。如果说，第一次鸦片战争时中国人民“保持平静，让皇帝的军队去同侵略者作战，失败之

---

①《马克思恩格斯选集》第1卷，北京：人民出版社，2012年，第793页。

②《马克思恩格斯全集》第12卷，北京：人民出版社，1962年，第189～190页。

③ 同②，第190页。

后，则抱着东方宿命论的态度屈从于敌人的暴力”[1]。之后，中国民众“积极地而且是狂热地参加反对外国人的斗争”[2]，他们秘密暴动夺取船只，宁愿与船同沉海底或者在船上被烧死，也坚决不投降。恩格斯通过对中国人民反抗外国侵略斗争的分析，认为“战争就是极其实际的——中国人远胜过一切东方民族”[3]，他强调：“我们不要像道貌岸然的英国报刊那样从道德方面指责中国人的可怕暴行，最好承认这是‘保卫社稷和家园’的战争，这是一场维护中华民族生存的人民战争。虽然你可以说，这场战争充满这个民族的目空一切的偏见、愚蠢的行动、饱学的愚昧和迂腐的野蛮，但它终究是人民战争。”[4]

知识链接

★《南京条约》★

1839年6月，钦差大臣林则徐在虎门集中销毁英、美等国不法商人交出的鸦片两万余箱。为了保护臭名远扬的鸦片走私贸易，1840年，英国派遣海军上将查理·义律等率领由40余艘舰船和4000名士兵组成的远征军，发动了侵略中国的鸦片战争。1842年8月4日，英军进逼南京，索要赎城费300万银圆。军事失利的清朝以钦差大臣耆英、两江总督牛鉴、署乍浦副都统伊里布为代表，与英方交涉。同年8月29日，在停泊于南京下关江面的英国“康沃利斯号”军舰上，清政府与英国代表璞鼎查签订了中国近代史上第一个丧权辱国的不

①《马克思恩格斯选集》第1卷，北京：人民出版社，2012年，第797页。
② 同①。
③《马克思恩格斯全集》第12卷，北京：人民出版社，1962年，第190～191页。
④ 同①，第798～799页。

平等条约——《南京条约》。其共13款,主要内容是:

第一,清政府开放广州、厦门、福州、宁波、上海五处为通商口岸,准许英国派驻领事,准许英商及其家属自由居住;

第二,清政府向英国赔款2100万银圆,其中600万银圆赔偿被焚鸦片,1200万银圆赔偿英国军费,300万银圆偿还商人债务;

第三,割香港岛给英国;

第四,废除清政府原有的公行自主贸易制度,准许英商与华商自由贸易;

第五,英商进出口货物缴纳的税率,由中英共同议定。

1843年,清政府钦差大臣耆英与英代表璞鼎查在广东虎门又签订了《虎门条约》和《中英五口通商章程》附《海关税则》,作为《南京条约》的补充条款。其补充条款破坏了中国司法主权、关税自主权等,使英国取得了"片面最惠国待遇"。

《南京条约》的签订和实施,为外国列强掠夺、奴役中国人民开了先例,并造成了严重的后果。

三是中国农民起义将摇摇欲坠的中国社会危机加速引爆。西方列强和清政府给中国人民带来了双重压迫,革命的爆发自然成为不可避免的事情。

马克思、恩格斯密切关注中国各地自鸦片战争以来发生的反抗风潮,特别是太平天国运动的崛起与发展。首先,马克思、恩格斯对太平天国运动的原因作了判断。1853年,在太平军攻占南京两个月后,马克思就指出:"中国的连绵不断的起义已经延续了约十年之久,现在汇合成了一场惊心动魄的革命;不管引起这些起义的社会原因是什么,也不管这些原因是通过宗教的、王朝的还是民族的形式表现出来,推动了这次大爆发的毫无疑问是英国的大炮，英国用大炮强迫中国输入名叫鸦片的麻醉剂。”[①]“运动发生的直接原因显然是：欧洲人的干涉，鸦片战争，鸦片战争所引起的现存政权的震动，白银的外流，外货输入所引起的经济平衡的破坏，等等。”[②]马克思的论证，旨在说明引燃太平天国农民起义的无外乎就是英国对中国发动的鸦片战争，以及在英国侵略下清政府的腐败、软弱和无能。其次，马克思、恩格斯还就太平天国农民起义的影响，尤其是对欧洲革命的影响作了预测。马克思认为，“欧洲人民的下一次起义，他们下一阶段争取共和自由、争取廉洁政府的斗争，在更大的程度上恐怕要决定于天朝帝国（欧洲的直接对立面）目前所发生的事件”[③]。最后，马克思、恩格斯用唯物史观对太平天国农民起义的局限性作出了科学评价。马克思一针见血地指出：“除了改朝换代以外，他们没有给自己提出任何任务。他们没有任何口号。”[④]农民阶级自身的局限性决定了由农民阶级领导的起义运动，最终只能以失败而告终。尽管这场革命带有明显的历史局限性，但它动摇了清朝统治，打击了外国侵略者，对中国近代历史产生了深远影响，用马克思的话来说，就是“中国革命将把火星抛到现今工业体系这个火药装得足而又足的地雷上，把酝酿已久的普遍危机引爆”[⑤]。

①《马克思恩格斯选集》第1卷，北京：人民出版社，2012年，第779页。

②《马克思恩格斯全集》第15卷，北京：人民出版社，1963年，第545页。

③ 同①，第778页。

④ 同②。

⑤ 同①，第783页。

知识链接

★ 太平天国运动 ★

太平天国运动是清朝咸丰元年到同治三年(1851～1864年),由洪秀全、杨秀清、萧朝贵、冯云山、韦昌辉、石达开等组成的领导集团从广西金田村率先发起的反对清朝封建统治和外国资本主义侵略的农民起义,是19世纪中叶中国最大的一场反清运动。1850年末至1851年初,洪秀全集结两万余人在广西金田村发动反抗清政府的武装起义,后建立"太平天国",并于1853年3月攻下江宁(今南京),定都于此,改称天京。随后通过出师北伐、领军西征,太平天国农民起义在全国范围内掀起高潮。但是在清政府的镇压下,1864年8月,太平天国首都天京被湘军攻陷,洪秀全之子被俘。天京的陷落,标志着太平天国运动的失败。虽然运动失败了,但是它作为中国历史上规模最大的农民革命,有力地打击了清王朝的封建统治和外国的侵略,加速了封建社会的崩溃,阻止了中国殖民化的进程,在中国历史上留下极其重要的一页。

五、关于中国革命及其前途命运的预测

马克思、恩格斯不仅关注鸦片贸易、西方列强入侵中国的行径以及中国人民的反抗侵略斗争,而且还敏锐地透过中国社会在西方列强炮火下所发生的变化,预测旧中国的灭亡和新中国的诞生,他们深信中华民族这个古老而伟大的东方民族必将重获新生。恩格斯甚至明确指出:"过不了多少年,我们就会亲眼看到世界上最古老的帝国的垂死挣扎,看到整个

亚洲新纪元的曙光。”[①]

一是中国必将在彻底的社会变革中获得新生。小农业和家庭手工业相结合的社会经济结构，长期以来一直占据着中国封建社会的主导地位。但是随着西方资本主义国家相继发生并完成工业革命，随着西方列强对中国主权的肆意践踏，这一相对稳定的社会经济结构逐步地发生了变化，直至走向彻底的变革。正如上面所谈到的，马克思、恩格斯对中国发生的太平天国农民起义给予了极大关注，同时他们也注意到了，中国正处于“一场必将对文明产生极其重要结果的社会变革前夕”，因为“在造反的平民当中有人指出了一部分人贫穷和另一部分富有的现象，要求重新分配财产，过去和现在一直要求完全消灭私有制”[②]。虽然太平天国农民起义因无法摆脱自身的局限性最终以失败告终，但是其中自发产生的带有社会主义倾向的政治理想，反映出旧制度必然灭亡和新制度必然诞生的历史趋势是无法阻挡的。马克思、恩格斯持续关注中国革命的前途和命运，针对1894年爆发的中日甲午战争，恩格斯直接断言：“古老中国整个传统的经济体系将完全崩溃。在那里，同家庭工业结合在一起的过时的农业体系，是通过严格排斥一切对抗成分而人为地维持下来的。”[③]恩格斯在致法国和国际工人运动活动家、马克思的女儿劳拉·马克思·拉法格等人的信中进一步指出，“在陆地和海上打了败仗的中国人将被迫欧化，全部开放它的港口通商，建筑铁路和工厂，从而把那

①《马克思恩格斯选集》第1卷，北京：人民出版社，2012年，第800页。
②《马克思恩格斯全集》第7卷，北京：人民出版社，1959年，第264页。
③《马克思恩格斯全集》第39卷，北京：人民出版社，1974年，第285页。

种可以养活这亿万人口的旧体系完全摧毁"[1],"在中国进行的战争给古老的中国以致命打击。闭关自守已经不可能了;即使是为了军事防御的目的,也必须敷设铁路,使用蒸汽机和电力以及创办大工业。这样一来,旧有的小农经济的经济制度(在这种制度下,农户自己也制造自己使用的工业品),以及可以容纳比较稠密的人口的整个陈旧的社会制度也都在逐渐瓦解"[2]。所以,随着中国旧的经济制度和政治制度走向瓦解,生产力会得到显著的解放和提高,中国必将出现彻底的社会变革,并且在这种彻底变革中重获新生。

二是中国将对世界文明进程产生新影响。鸦片战争在打开中国大门,破坏了中国传统的小农业和家庭手工业相结合的生产方式的同时,也打破了中国社会经济长期停滞发展的僵硬状态,这在客观上促进了中国近代资本主义经济萌芽的发展,与此同时也产生了中国最初的无产阶级等进步力量。这样就带来了两方面的影响:一方面,中国近代资本主义经济萌芽的出现,中国最初无产阶级的孕育,为加速旧社会的解体和新制度的诞生创造了物质基础和阶级基础;另一方面,随着中国被卷入资本主义世界市场,中国社会的变化也必然对资本主义国家、世界文明进程产生影响。随着中国国门被打开,"成千上万的英美船只开往中国;这个国家很快就为不列颠和美国廉价工业品所充斥。以手工劳动为基础的中国工业经不住机器的竞争。牢固的中华帝国遭受了社会危机"[3]。直接的

---

①《马克思恩格斯全集》第39卷,北京:人民出版社,1974年,第285～286页。

② 同①,第297页。

③《马克思恩格斯全集》第7卷,北京:人民出版社,1959年,第264页。

后果就像恩格斯所描述的那样，“由于那里甚至没有中国的大工业来予以平衡，亿万居民将陷入无法生存的境地。其后果将出现世界上从未有过的大规模移民……中国人将充斥美洲、亚洲和欧洲，并将在劳动市场上以中国的生活水准即世界上最低的生活水准，同美洲、澳洲和欧洲的工人展开竞争；如果那时欧洲的整个生产体系还没有改变，那就一定要改变”[①]。即中国的被动工业化不仅使得过剩劳动人口急剧地、不断地增长，形成自中国流向世界的移民潮，严重影响世界的劳动力市场，也加速了西方革命的步伐，加速了资本主义的崩溃。恩格斯进一步指出：“中国人的竞争一旦成为群众性的，那末这种竞争无论在你们那里或在我们这里都会迅速地极端尖锐化，这样一来，资本主义征服中国的同时也就会对欧洲和美洲资本主义的崩溃起推动作用。”[②]马克思、恩格斯已然预见到中国对世界文明进程必将产生新的影响，同时也期待中国革命和建设能够促成世界性的资本主义文明的崩溃和社会主义新文明的诞生。

三是中国人民终将走上社会主义道路。马克思、恩格斯在预判中国必将出现彻底社会变革的基础上，进一步推断中国人民终将走上社会主义道路，“甚至为他们心中的新中国取了靓丽的名字——‘中华共和国’”[③]。尽管这种道路的开辟和实现的进程是艰难曲折的，但是这个世界上最古老的帝国在

①《马克思恩格斯全集》第38卷，北京：人民出版社，1972年，第467～468页。

②《马克思恩格斯全集》第39卷，北京：人民出版社，1974年，第297页。

③ 习近平：《在纪念马克思诞辰200周年大会上的讲话》，《人民日报》2018年5月5日，第2版。

经历过炼狱的洗礼后一定会看到“整个亚洲新纪元的曙光”[①]。他们共同预言，“如果我们欧洲的反动分子不久的将来会逃奔亚洲，最后到达万里长城，到达最反动最保守的堡垒的大门，那末他们说不定就会看见这样的字样：中华共和国 自由，平等，博爱”[②]。鉴于中华民族独特的文化传统和特有的基本国情，马克思、恩格斯确信未来中国的社会主义必然独具中国特色。他们曾明确指出：中国的社会主义跟欧洲的社会主义，“象中国哲学跟黑格尔哲学一样”[③]。也就是说，作为中华优秀传统文化集中体现的“中国哲学”和作为德国古典哲学集大成者的“黑格尔哲学”，不仅都是人类思想史上的“高峰”，而且基于各国或者各种文化生存土壤的差异，各具特色。同样地，由于各民族历史文化传统的不一，未来中国的社会主义将不同于欧洲各国的社会主义。

百年后的1949年10月1日，在中国共产党的带领下，中国人民推翻“三座大山”，成立了中华人民共和国，证实了马克思、恩格斯当年对中国革命前途和命运的预判。中华人民共和国成立70年来，尤其是改革开放40多年来，中国各族人民在中国共产党的带领下，取得了历史性成就，不仅意味着近代以来久经磨难的中华民族实现了从站起来、富起来到强起来的历史性飞跃，也意味着科学社会主义在21世纪的中国焕发出强大的生机活力，马克思、恩格斯对中华民族的美好期望和预言在中国共产党的领导下成为现实。

---

①《马克思恩格斯选集》第1卷，北京：人民出版社，2012年，第800页。

②《马克思恩格斯全集》第7卷，北京：人民出版社，1959年，第265页。

③ 同②，第265页。

六、关于对西方资产阶级新闻本质的揭露

马克思由于担任纽约每日论坛报驻伦敦的特约通讯员，所以对西方媒体较为敏感，并且长期关注。他和恩格斯在观察和研究中国问题的过程中，进一步看到了西方资产阶级新闻的本质，认为西方媒体“都被黄金的链条和官方的链条跟现政府连在一起”[①]，因此马克思和恩格斯通过不断澄清事实真相，揭穿了西方新闻媒体的骗局。

一是直击要害，严厉辩护，揭露资产阶级新闻的本质特征。马克思、恩格斯曾就两次鸦片战争的相关问题进行探讨，强调：中英双方在两次鸦片战争期间的是非曲直，本来是十分清楚的。在《英中冲突》中，马克思这样写道：“每一个公正无私的人在仔细地研究了香港英国当局同广州中国当局之间往来的公函以后，一定会得出这样的结论：在全部事件过程中，错误是在英国人方面。”[②]然而，当时出现在英国社会公众舆论中的却是截然不同的论调，这使英国人民纷纷对中国抱以反感的态度，因为“自从英国人在中国采取军事行动的第一个消息传来以后，英国政府报纸和一部分美国报刊就连篇累牍地对中国人进行了大量的斥责，大肆攻击中国人违背条约的义务、侮辱英国的国旗、羞辱旅居中国的外国人，如此等等”[③]。在英国人民的认知中，正是基于这样的原因，才使得英、法、美等国忍无可忍、退无可退，不得不采取所谓自卫行动。对此，

---

①《马克思恩格斯全集》第12卷，北京：人民出版社，1962年，第163页。

② 同①，第112页。

③《马克思恩格斯选集》第1卷，北京：人民出版社，2012年，第791页。

马克思予以了坚决的声讨和谴责。马克思指出："这一切都是在'中国人的挑衅行为危及英国人的生命和财产'这种站不住脚的借口下发生的！英国政府和英国人民——至少那些愿意弄清楚这个问题的人们——都知道这些非难是多么虚伪和空洞。"①由此，可以看出，西方新闻媒体自觉充当了资产阶级政府"最卑鄙的走卒"②，它们是战争罪行的"最忠实的辩护者"③，是当面撒谎而毫不羞愧的"小丑"④。马克思、恩格斯通过英国人民对鸦片战争爆发的认识的反映，撕掉了西方新闻媒体的虚伪面纱，将西方新闻媒体的本真面目展现在世人面前。

二是澄清事实，以正视听，批驳西方媒体散布的逐条谣言。马克思、恩格斯没有仅仅停留在对西方资产阶级新闻媒体本质的揭露上，而是在分析西方新闻媒体本真面目的基础上，用大量的事实对它们散布的谣言逐条予以批驳，对它们偷梁换柱、瞒天过海的手段逐一加以揭露，以此来昭示真相，以正视听。正如马克思、恩格斯所指出的那样，"在中国以外的大多数人很少关心这个国家的社会和道德状况"⑤，这就凸显了新闻媒体作为外国人了解中国和世界形势主要渠道的作用。所以，西方公众对鸦片战争起因和后果的错误印象和认识，就源于英国媒体《泰晤士报》《每日电讯报》《笨拙》和《经济学家》以及法国等某些报刊蓄意传播的错误信息。马克思尖锐地指出："英国报纸对于旅居中国的外国人在英国庇护下每

---

①《马克思恩格斯选集》第1卷，北京：人民出版社，2012年，第792～793页。

② 同①，第819页。

③ 同①，第809页。

④《马克思恩格斯全集》第12卷，北京：人民出版社，1962年，第163页。

⑤ 同①，第793页。

天所干的破坏条约的可恶行为真是讳莫如深！”[1]并且，马克思连用四个“我们一点也听不到”对西方新闻媒体所散布的谎言逐一批驳：“非法的鸦片贸易年年靠摧残人命和败坏道德来填满英国国库的事情，我们一点也听不到。外国人经常贿赂下级官吏而使中国政府失去在商品进出口方面的合法收入的事情，我们一点也听不到。对那些被卖到秘鲁沿岸去当不如牛马的奴隶、被卖到古巴去当契约奴隶的受骗契约华工横施暴行‘以至杀害’的情形，我们一点也听不到。外国人常常欺凌性情柔弱的中国人的情形以及这些外国人带到各通商口岸去的伤风败俗的弊病，我们一点也听不到。”[2]这些真实情形是公众通过新闻媒体听不到的，那么他们听到的是什么呢？如出一辙的都是对“背信弃义”的中国人的谩骂谴责，是对“仁至义尽”的英国政府及其鹰犬的讴歌赞颂，当然也包括“声嘶力竭的战争叫嚣”[3]。马克思、恩格斯在逐条反驳西方新闻媒体谎言的过程中，将英国政府发动鸦片贸易的侵略性和中国人民反抗侵略的正义性公之于众。

三是政府绑架，利益驱使，披露西方媒体为政府和金钱所驱动的目的。马克思、恩格斯在批驳西方新闻媒体谎言、揭露西方资产阶级新闻本质特征的基础上，进一步指明了西方新闻媒体这样做的出发点，分析了他们的根本原因和真实动机。马克思曾这样描述：“坐在家里而眼光不超出自己买茶叶的杂货店的英国人，完全可以把政府和报纸塞给公众的一切

①《马克思恩格斯选集》第1卷，北京：人民出版社，2012年，第793页。

② 同①。

③ 同①，第838页。

胡说吞咽下去。”[①]也就是说，西方新闻媒体这样做是旨在通过媒介途径，诱导普通民众相信政府的决策是正确的，进而让他们“把政府和报纸塞给公众的一切胡说吞咽下去”[②]。西方新闻媒体如此混淆视听，以迎合政府，归根到底还是受政治立场和经济利益的驱动。用马克思的话来说，西方新闻媒体“都被黄金的链条和官方的链条跟现政府连在一起”[③]。一方面，西方新闻媒体必然深深打着资产阶级的烙印。西方社会是以资产阶级为主导的，作为传播主流意识形态主要渠道的新闻媒体，自然牢牢被资产阶级所把持。所以，西方新闻媒体就会自觉站在资产阶级政府的立场上，为资产阶级政府效力，传播有利于维护资产阶级利益的资讯消息。就像前面所提到的，西方新闻媒体颠倒黑白，将英国人发动的鸦片战争硬生生地说成是中国“背信弃义”在先，以此来标榜西方“仁至义尽”。另一方面，西方新闻媒体具有明显的逐利本性。马克思曾指出，西方新闻媒体“按照精明和谨慎的原则不宜讨论那些不能带来钱财的问题”[④]，一针见血地将西方新闻媒体的金钱导向、逐利本性展现得淋漓尽致。西方新闻媒体为了满足自己的经济利益，只有选取迎合西方资产阶级政府统治需要的报道，才能被允许发行，才有钱财可图。所以，西方新闻媒体本质上就是资产阶级政治利益和经济利益的“代言人”。

①《马克思恩格斯选集》第1卷，北京：人民出版社，2012年，第793页。

②《马克思恩格斯全集》第12卷，北京：人民出版社，1962年，第178页。

③ 同②，第163页。

④ 同①，第793页。

延伸阅读

(1)《马克思恩格斯选集》第1卷,北京:人民出版社,2012年。

(2)《马克思恩格斯论中国》,北京:人民出版社,2018年。

(3)《马克思恩格斯全集》第7卷,北京:人民出版社,1959年。

(4)《马克思恩格斯全集》第12卷,北京:人民出版社,1962年。

(5)《马克思恩格斯全集》第15卷,北京:人民出版社,1963年。

(6)《马克思恩格斯全集》第38卷,北京:人民出版社,1972年。

(7)《马克思恩格斯全集》第39卷,北京:人民出版社,1974年。

深度思考

(1) 马克思、恩格斯是如何剖析英国鸦片贸易的实质的?

(2) 马克思、恩格斯如何分析和评价西方列强发动的对华战争的?

(3) 马克思、恩格斯认为中国的前途和命运在何方?

Reading & Interpretation

大家写小书·马恩经典著作新读

第 三 章

《马克思恩格斯论中国》的理论意义与历史意义

马克思、恩格斯以马克思主义的立场、观点和方法认识和解读近代中国，在把中国置于近代国际社会的大背景下，科学分析了中国落后的经济根源和制度弊病，无情谴责了西方列强对中国的侵略行径，高度赞扬了中国人民不甘屈辱、奋起反抗的英勇斗争，并预测了中国革命的前途和命运。这不仅为我们了解和研究近代中国的历史提供了宝贵的文献资料，也对我们树立正确的历史观具有重要的指导意义。下面主要围绕革故鼎新、奋起反抗和富民兴邦三个方面，分析马克思、恩格斯关于中国问题论述的理论意义与历史意义。

一、革故鼎新，在顺势发展中消除故步自封

随着英国鸦片战争的炮火，“活的化石”一样存在的古老东方大国——中国在天朝上国的睡梦中惊醒，国门被打开后，曾寄托能够依靠闭关锁国政策换得万世长存的清政府再也招架不住这外面的世界了。正如马克思所指出的那样，“与外界完全隔绝曾是保存旧中国的首要条件，而当这种隔绝状态通过英国而为暴力所打破的时候，接踵而来的必然是解体的过程，正如小心保存在密闭棺材里的木乃伊一接触新鲜空气便必然要解体一样”[①]。就是在中国实行闭关锁国的时候，西方英国率先掀起了工业革命的浪潮，把整个人类社会推进到资本主义社会化大生产的发展阶段，机器的大量使用极大地促进了生产力的发展，西方资本主义国家纷纷跃居工业大国。由此可见，在西方资本主义国家强势崛起，迫切要求瓜分世

①《马克思恩格斯选集》第1卷，北京：人民出版社，2012年，第780～781页。

界，占领原料产地和商品市场的时候，故步自封、衰败陈腐的旧中国自然不可避免地沦为西方资本主义国家的“囊中之物”，“注定最后要在一场殊死的决斗中被打垮”①。

所以，中国要扭转成为任人宰割对象的局面，以闭关锁国来求得一片安静的故步自封，是根本行不通的。中国要实现自身发展，必须顺势而为，不断变革旧的生产方式和政治制度，以使生产力得到新的解放，进而变革适应社会发展的生产关系。马克思、恩格斯在《共产党宣言》中指出：“资产阶级除非对生产工具，从而对生产关系，从而对全部社会关系不断地进行革命，否则就不能生存下去。反之，原封不动地保持旧的生产方式，却是过去的一切工业阶级生存的首要条件。生产的不断变革，一切社会状况不停的动荡，永远的不安定和变动，这就是资产阶级时代不同于过去一切时代的地方。”②在这样一个资产阶级“按照自己的面貌为自己创造出一个世界”③的时代中，近代中国落后衰败、挨打受欺注定成了必然。所以，这就是马克思、恩格斯关于中国问题论述的第一个理论和历史意义，即认真汲取近代中国因循守旧、闭关锁国的惨痛教训，必须以积极主动的奋进姿态，变革生产关系中不适应生产力发展的因素，主动学习、引进西方发达国家有益于经济发展和社会进步的先进经验，致力于中华民族的繁荣复兴。

---

①《马克思恩格斯选集》第1卷，北京：人民出版社，2012年，第804页。

② 同①，第403页。

③ 同①，第404页。

二、奋起反抗，在敢于斗争中维护国家利益

马克思、恩格斯揭露和抨击了西方列强对中国的侵略行径，坚定地声援和支持中国人民反抗外来侵略的斗争。马克思写道："我们只要熟悉一下英国第一次对中国进行的战争，也就是熟悉一下昨天发生的事件就够了。当时英国士兵只是为了取乐就犯下了滔天的罪行；他们的狂暴既不是由于受宗教狂热的驱使，也不是由对傲慢的征服者的仇恨激起的，更不是由英勇的敌方的顽强抵抗引起的。强奸妇女，枪挑儿童，焚烧整个整个的村庄，这些并非由中国官吏而是由英国军官亲笔记载下来的暴行，完全是恣意的胡作非为。"①还有《英人在华的残暴行动》中所描述的："广州城的无辜居民和安居乐业的商人惨遭屠杀，他们的住宅被炮火夷为平地，人权横遭侵犯。"②面对西方列强的侵略暴行，中国人民不甘心成为被欺凌和被宰割的羔羊。1839年6月，林则徐虎门销烟的壮举，彰显了中国人民反抗外来侵略和维护民族尊严的决心和气概。继其之后，广州三元里人民抗英斗争、镇江保卫战、中国军民英勇还击英法联军进攻天津大沽炮台等，谱写了一曲曲中国人民奋起反抗、维护中华民族利益的英雄史诗。对于中国人民抗击侵略者的斗争精神，马克思、恩格斯给予了充分肯定和支持，指出："在中国，压抑着的、鸦片战争时燃起的仇英火种，爆发成了任何和平和友好的表示都未必能扑灭的愤怒烈火。"③

---

①《马克思恩格斯全集》第12卷，北京：人民出版社，1962年，第309页。

②《马克思恩格斯选集》第1卷，北京：人民出版社，2012年，第792页。

③ 同②，第793页。

维护国家安全和民族利益、不惧强敌和敢于斗争的精神是始终流淌在中国人民血液中的。面对西方列强的侵略暴行，纵使衰败腐朽的清政府忍辱偷生，但广大中国人民依然选择奋起反抗，在斗争中维护中华民族的尊严和利益。对此，马克思、恩格斯也高度认可和声援支持中国人民反抗侵略的英勇斗争。70年前，以毛泽东同志为代表的中国共产党带领全国人民推翻帝国主义、封建主义和官僚资本主义，在浴血奋战的英勇斗争中，最终取得民族解放和新民主主义革命的胜利，充分彰显了中国人民“独有英雄驱虎豹，庚午豪杰怕熊罴”的革命斗争精神。毛泽东同志曾指出：“我们中华民族有同自己的敌人血战到底的气概，有在自力更生的基础上光复旧物的决心，有自立于世界民族之林的能力。”[①]面对外来敌人的侵略，每一个中国人都不应该偏安于自己的一方天地，家是缩小了的国、国是放大了的家，我们不能被敌人吓倒，不能表现出丝毫的怯懦，而应该为中华民族的利益，敢于斗争、勇于斗争，战而胜之、取而代之。这就是马克思、恩格斯关于中国问题论述的又一个理论和历史意义，即我们要永远秉持马克思、恩格斯那时所赞誉的中国人民为保卫社稷和家园而奋勇抗争的大无畏精神，始终把维护国家安全和正当权益放在第一位，绝不能让那种人为刀俎、我为鱼肉的惨淡历史再次上演。

三、富民兴邦，在人民立场中铸牢社稷根基

马克思、恩格斯充分肯定人民的历史主体地位，把无产

---

①《毛泽东选集》第1卷，北京：人民出版社，1991年，第161页。

阶级看作是先进生产力的代表者和新社会制度的创造者，人民性是马克思主义最鲜明的品格。中国传统文化中也具有丰富的民本思想。《尚书·五子之歌》提到“民惟邦本，本固邦宁”；管仲主张“以人为本，本治则国固，本乱则国危”；孟子则提出“民为贵，社稷次之，君为轻”思想，强调“乐民之乐者，民亦乐其乐；忧民之忧者，民亦忧其忧”；东汉王符《潜夫论·务本》提到“为国者，以富民为本，以正学为基”。然而，近代中国的人民却时刻处于水深火热之中。据统计，清朝末年绝大部分土地以“普天之下莫非王土”的名义被皇室、官员和地主牢牢把持，占全国人口80%以上的农民仅仅占有不足10%的耕地。鸦片战争以后，中国人民的生活更加苦不堪言。“中国在1840年战争失败以后被迫付给英国的赔款、大量的非生产性的鸦片消费、鸦片贸易所引起的金银外流、外国竞争对本国工业的破坏性影响、国家行政机关的腐化，这一切造成了两个后果：旧税更重更难负担，旧税之外又加新税。”[①]在这种情况下，赋税多如牛毛，生活艰难困苦，所以民众纷纷揭竿而起，将斗争矛头指向腐朽的清政府，其中较为突出的就是太平天国农民起义。当中国人民将枪口对准清政府的时候，加之西方列强坚船利炮的攻击，最终的结果只能是兵败国丧。

由此可知，一个国家、一个民族要想在世界之林立足，就必须维护社会内部的稳定，归根到底就是要富民兴邦。毕竟民为邦本，邦本不牢，地动山摇。倘若不能站在人民的立场上，替劳动人民说话，抵御西方列强的外来侵略、维护中华民

①《马克思恩格斯选集》第1卷，北京：人民出版社，2012年，第780页。

族的国家利益自然也就无从谈起。马克思、恩格斯明确指出："过去的一切运动都是少数人的，或者为少数人谋利益的运动。无产阶级的运动是绝大多数人的，为绝大多数人谋利益的独立的运动。"[①]马克思主义从根本上说就是为绝大多数人谋利益的理论。"马克思主义博大精深，归根到底就是一句话，为人类求解放。"[②]在任何情况下，都站在人民的立场上，都为实现最广大人民群众的根本利益，这是马克思主义区别于其他理论的根本所在。从马克思、恩格斯对中国人民近代以来的悲惨遭遇的深切同情，可以明显得出：安邦必先安民，兴邦必先兴民，抵御外来侵略必然依靠人民。"因为革命战争是群众的战争，只有动员群众才能进行战争，只有依靠群众才能进行战争"[③]，"真正的铜墙铁壁是什么？是群众，是千百万真心实意地拥护革命的群众。这是真正的铜墙铁壁，什么力量也打不破的，完全打不破的"[④]。中国共产党自成立以来，始终将"人民"写在自己的旗帜上，始终将"为中国人民谋幸福，为中华民族谋复兴"[⑤]作为自己的初心和使命。从革命建设时期在为人民服务中结下军民鱼水情，到改革开放以来的人民利益高于一切，再到新时代习近平总书记提出的以人

①《马克思恩格斯选集》第1卷，北京：人民出版社，2012年，第411页。

② 习近平：《在纪念马克思诞辰200周年大会上的讲话》，《人民日报》2018年5月5日，第2版。

③《毛泽东选集》第1卷，北京：人民出版社，1991年，第136页。

④ 同③，第139页。

⑤ 习近平：《决胜全面建成小康社会　夺取新时代中国特色社会主义伟大胜利——在中国共产党第十九次全国代表大会上的报告》，北京：人民出版社，2017年，第1页。

民为中心的发展思想,人民情怀是中国共产党一以贯之的政治本色,它在彰显我们党人民立场的同时,也标识着我们党鲜明的人民属性。这就是马克思、恩格斯关于中国问题论述的第三个理论和历史意义,即只有站在最广大人民群众的立场上,才能凝聚起最广大人民群众的磅礴力量,才能在此基础上击败外来的侵犯和掠夺,才能打垮陈腐的旧世界,才能创造人民向往的美好生活。

延伸阅读

(1)《马克思恩格斯选集》第1卷,北京:人民出版社,2012年。

(2)《马克思恩格斯论中国》,北京:人民出版社,2018年。

(3)《马克思恩格斯全集》第7卷,北京:人民出版社,1959年。

(4)《马克思恩格斯全集》第12卷,北京:人民出版社,1962年。

(5)《毛泽东选集》第1卷,北京:人民出版社,1991年。

深度思考

(1) 马克思、恩格斯如何分析中国长期实行的闭关锁国政策?

(2) 马克思、恩格斯如何评价中国人民的反抗侵略斗争?

(3) 马克思、恩格斯关于中国问题的论述带给我们怎样的历史启示?

Reading & Interpretation

大家写小书·马恩经典著作新读

第 四 章

《马克思恩格斯论中国》的新时代现实意义

马克思、恩格斯关于中国问题的论述不仅对我们正确认识近代中国历史具有重要的指导价值，在中国特色社会主义进入新时代的今天，依然有着重要的现实意义。深刻理解和把握马克思、恩格斯关于中国问题的论述，有利于在百年未有之大变局的时势中，了解世界、读懂中国；有利于在全面深化改革的攻坚克难期，顺势而为、主动推进；有利于在构建人类命运共同体过程中，积极融入、互利共赢。

一、在百年未有之大变局的时势中，了解世界、读懂中国

马克思、恩格斯关于中国问题的论述是在资本主义工业革命之后，正处于用枪炮和工业产品开辟世界市场的大背景下产生的。在他们看来，资本主义的发展必然会导致各民族各地区原始封闭状态被打破，一切民族都会被纳入世界历史之中，“正像它使农村从属于城市一样，它使未开化和半开化的国家从属于文明的国家，使农民的民族从属于资产阶级的民族，使东方从属于西方”[①]。世界历史的形成是不可抗拒的必然趋势，不同的是，各个国家以何种形式、通过什么代价融入整个世界历史之中。近代中国由于腐朽落后、闭关锁国的国情，决定了中国在进入世界历史，更准确地说是被动进入世界历史的过程中，必然要付出更为惨痛的代价。所以，根据马克思、恩格斯关于中国问题的论述，要了解世界、读懂中国，必须将中国置于整个世界的发展格局之中，在世界历史中观察和研究中国和世界问题。

①《马克思恩格斯选集》第1卷，北京：人民出版社，2012年，第405页。

那么，对于新时代的今天，我们应该怎样观察和研究当代中国问题呢？习近平总书记在2018年6月22日至23日召开的中央外事工作会议上指出："当前，我国处于近代以来最好的发展时期，世界处于百年未有之大变局，两者同步交织、相互激荡。"[1]百年未有之大变局既是对中国发展境遇的集中概括，也是对世界局势的洞察分析。观察和研究当代中国，必须站在百年未有之大变局的视野上。百年未有之大变局，交代了当前的国内形势和国际环境是百年中国从未经历、从未遭遇的，反映了当前的变革是内容广泛、意义重大、影响深远的"大变革"，同时体现了在当前的变革面前，中国与世界同镜同框，在机遇与挑战面前，各国一律平等。

在百年未有之大变局的境遇中，如何把握中国发展和国际格局的动向与趋势？一方面，需要在大变局中把握中国发展的"变"。迈过近代屈辱史的中国，在中国共产党的坚强领导下，全国各族人民同心协力、不懈奋进，促使我国在政治、经济、文化、社会、生态文明建设等各个领域实现重大突破，并且经过长期努力，中国特色社会主义进入新时代。我们前所未有地靠近世界舞台中心，前所未有地接近实现中华民族伟大复兴的目标，前所未有地具有实现这个目标的能力和信心。这是当代中国在世界发展大势与民族复兴进程中的新的历史方位，也是近百年来中国经济社会发展的新变化。另一方面，也需要在大变局中把握中国发展的"不变"。习近平总书记在

①《习近平在中央外事工作会议上强调：坚持以新时代中国特色社会主义外交思想为指导　努力开创中国特色大国外交新局面》，《人民日报》2018年6月24日，第1版。

党的十九大报告中，明确指出：“我国社会主要矛盾的变化，没有改变我们对我国社会主义所处历史阶段的判断，我国仍处于并将长期处于社会主义初级阶段的基本国情没有变，我国是世界最大发展中国家的国际地位没有变。”[①]我们应该在世界范围内不稳定性、不确定性因素增多的大环境下，立足于中国基本国情，深刻把握“变”与“不变”的辩证关系，向世界展现一个负责任的中国形象，为世界的发展贡献中国智慧和中国方案。

二、在全面深化改革的攻坚克难期，顺势而为、主动推进

马克思、恩格斯对中国传统社会经济结构有过较多论述，他们认为，小农业和家庭手工业相结合的社会经济结构既是中国封建社会发展的必然产物，也是将中国封建社会推向死亡边缘的“罪魁祸首”。在西方资本主义国家已经进入机器大生产和资本主义社会化大生产的国际背景下，中国传统的以小农业和家庭手工业相结合为标志的生产方式就显得那么格格不入。在小农业和家庭手工业相结合的社会经济结构下，生产力和商业长期停留在低下水平。落后的生产方式阻碍了整个经济与社会的发展，在遭遇先进生产方式时，“以手工劳动为基础的中国工业经不住机器的竞争。牢固的中华帝国遭受了社会危机”[②]。此外，这种以小农业和家庭手工业相结合

① 习近平：《决胜全面建成小康社会　夺取新时代中国特色社会主义伟大胜利——在中国共产党第十九次全国代表大会上的报告》，北京：人民出版社，2017年，第12页。

②《马克思恩格斯全集》第7卷，北京：人民出版社，1959年，第264页。

为标志的社会经济结构也是妨碍西方资本主义国家打开中国市场的主要因素。这种社会经济结构造就了中国人的节俭习惯和物质需要的简单化，“没有需要以及对传统服式的偏爱，这些是文明商业在一切新市场上都要遇到的障碍”[①]，导致急于扩大贸易与获取财富的西方列强选择“用强力清除这些障碍”[②]。马克思、恩格斯从生产力和生产关系相适应的角度，认为近代中国失败的根源在于落后的生产力和生产关系，以及未能及时改革生产关系，以适应生产力的发展。

经过四十多年的改革开放，中国已经不再是那个任人宰割的落后的中国。中国已经成为世界第二大经济体，人民生活水平显著提高，国家实力极大提升。习近平总书记在庆祝改革开放40周年大会上，明确指出：“40年的实践充分证明，改革开放是党和人民大踏步赶上时代的重要法宝，是坚持和发展中国特色社会主义的必由之路，是决定当代中国命运的关键一招，也是决定实现‘两个一百年’奋斗目标、实现中华民族伟大复兴的关键一招。”[③]但是，就像前面说的，世界正处于百年未有之大变局中，不稳定性、不确定性因素增多。在这种大的国际背景下，我们国家发展也面临着一系列突出矛盾和挑战，比如：发展中不平衡、不协调、不可持续问题依然突出，科技能力不强，产业结构不合理，发展方式依然粗放，城乡区域发展差距和居民收入分配差距依然较大，以及一些领域的

①《马克思恩格斯选集》第1卷，北京：人民出版社，2012年，第845页。

② 同①，第843～844页。

③ 习近平：《在庆祝改革开放40周年大会上的讲话》，《人民日报》2018年12月19日，第2版。

消极腐败现象依然多发等。解决这些中国社会问题，关键在于全面深化改革。第一，正确把握改革开放的方向、立场和原则。习近平总书记强调："改革开放是一场深刻革命，必须坚持正确方向，沿着正确道路推进。"[①]我国推进的改革开放是有方向、有立场、有原则的，是在中国特色社会主义道路上不断前进的改革，既不是走封闭僵化的老路，也不是走改旗易帜的邪路。第二，继续坚持以经济建设为中心，解放和发展生产力。习近平总书记指出："全面建成小康社会，实现社会主义现代化，实现中华民族伟大复兴，最根本最紧迫的任务还是进一步解放和发展社会生产力。"[②]我们要根据社会基本矛盾运行的现实情况，不断调整生产关系和上层建筑，从而为经济和社会的发展注入强大动力。第三，聚焦国家治理体系和治理能力现代化的目标，把握全面深化改革的内在规律和正确方法论。我们国家推进的全面深化改革不是某一个领域的改革，也不是几个领域的改革，而是从国家治理体系和治理能力现代化的角度，总体推进多领域改革，在坚定信心、凝聚共识、统筹谋划和协同推进中，不断爬坡过坎、攻坚克难。

三、在构建人类命运共同体过程中，积极融入、互利共赢

在马克思、恩格斯关于中国问题的论述中，我们可以看到：世界近代历史开始于西方资本主义国家的工业革命，开始于西方列强在全球范围内的争霸，伴随着炮火，伴随着流血。在这样一个强权横行、弱肉强食的极不公平、极不合理的国际

---

①《习近平关于全面深化改革论述摘编》，北京：中央文献出版社，2014年，第14页。

② 同①，第17页。

体系下，衰败腐朽的清政府带领下的中国不可避免地沦为被宰割、被侵略的对象。相对于现在的国际秩序，近代国际关系主要表现为西方资本主义列强在全球范围内进行争霸，表现为西方资本主义列强对亚非拉国家大肆进行殖民侵略。他们奉行的“弱肉强食”“穷兵黩武”的做法，虽然给自己资本主义社会化大生产提供了原料产地和商品市场，但是给被侵略国家甚至是整个世界带来了巨大的灾难。马克思、恩格斯以“海盗式”侵略来概述西方列强对中国等亚非拉国家的侵略行径。

随着社会的不断发展，现代国际关系较之于19世纪的基本状况，已经不再是极不公平、极不合理的国际体系，取而代之的求和平、谋发展、促合作这一不可阻挡的时代潮流。习近平总书记在党的十九大报告中明确指出：“世界正处于大发展大变革大调整时期，和平与发展仍然是时代主题。世界多极化、经济全球化、社会信息化、文化多样化深入发展，全球治理体系和国际秩序变革加速推进，各国相互联系和依存日益加深，国际力量对比更趋平衡，和平发展大势不可逆转。”①面对这一国际秩序的发展大势，我们应该坚定秉持马克思、恩格斯抨击侵略行径、同情反抗斗争、主张和平公正的国际关系的原则立场，“同各国人民一道，推动人类命运共同体建设，共同创造人类的美好未来”②。

首先，告别过去，拥抱未来。习近平总书记曾强调：“世界

---

① 习近平：《决胜全面建成小康社会　夺取新时代中国特色社会主义伟大胜利——在中国共产党第十九次全国代表大会上的报告》，北京：人民出版社，2017年，第58页。

② 同①，第60页。

潮流，浩浩荡荡，顺之则昌，逆之则亡。要跟上时代前进步伐，就不能身体已进入21世纪，而脑袋还停留在过去，停留在殖民扩张的旧时代里，停留在冷战思维、零和博弈老框框内。”[①]世界各国都应该向这种“停留在过去”的想法和做法说再见，同舟共济，推动建立以合作共赢为核心的新型国际关系。

其次，展示负责任大国的国际形象。习近平总书记指出：“中华民族是爱好和平的民族。消除战争，实现和平，是近代以后中国人民最迫切、最深厚的愿望。走和平发展道路，是中华民族优秀文化传统的传承和发展，也是中国人民从近代以后苦难遭遇中得出的必然结论。中国人民对战争带来的苦难有着刻骨铭心的记忆，对和平有着孜孜不倦的追求，十分珍惜和平安定的生活。中国人民怕的就是动荡，求的就是稳定，盼的就是天下太平。”[②]中国走和平发展道路是历史给予我们的深刻教训，我们坚决反对任何形式的霸权主义和强权政治，不干涉别国内政，永远不称霸，永远不扩张，以一个负责任的大国形象永久出现在致力于世界和平与发展的国际关系中。

最后，警惕西方资本主义国家的干扰和破坏。现在的世界格局正在朝着有利于中国以及新兴发展中国家的方向发展，中国日益走近世界舞台的中央，这当然是某些西方资本主义国家所不愿意看到的局面。尽管世界正在朝着开放、包容、普惠、平衡、共赢的方向发展，但也需要我们高度警惕西方资本主义国家会以各种借口来阻碍破坏这一发展的出现，团结

① 习近平：《顺应时代前进潮流　促进世界和平发展——在莫斯科国际关系学院的演讲》，《人民日报》2013年3月24日，第2版。

②《习近平谈治国理政》，北京：外文出版社，2014年，第247～248页。

一切可以团结的力量，共同致力于建设持久和平、普遍安全、共同繁荣、开放包容、清洁美丽的世界人类命运共同体。

延伸阅读

（1）《马克思恩格斯选集》第1卷，北京：人民出版社，2012年。

（2）《马克思恩格斯论中国》，北京：人民出版社，2018年。

（3）《马克思恩格斯全集》第7卷，北京：人民出版社，1959年。

（4）习近平：《决胜全面建成小康社会　夺取新时代中国特色社会主义伟大胜利——在中国共产党第十九次全国代表大会上的报告》，北京：人民出版社，2017年。

（5）《习近平关于全面深化改革论述摘编》，北京：中央文献出版社，2014年。

（6）《习近平谈治国理政》，北京：外文出版社，2014年。

深度思考

（1）今天重读《马克思恩格斯论中国》有何现实意义？

（2）马克思、恩格斯关于中国问题的论述给予我们在百年未有之大变局中了解世界、读懂中国以何启示？

（3）马克思、恩格斯关于中国问题的论述给我们正确认识全面深化改革提供怎样的启发？

后　记

坚持思想建党、理论强党是我们党的优良传统和政治优势。思想是行动的先导，理论是实践的指南。高度重视党的思想理论建设，既是马克思主义政党的本质特征，也是开展"不忘初心、牢记使命"主题教育活动的根本要求。党的十八大以来，习近平总书记就理论建设发表了系列重要讲话，尤其是强调广大干部群众学好用好马克思主义这个"看家本领"，坚持不懈地用党的最新理论成果武装头脑，在真学真懂真信真用的基础上，领悟贯彻其中的马克思主义基本立场、观点和方法，进而深刻认识和把握共产党执政规律、社会主义建设规律、人类社会发展规律。在全党上下扎实深入开展"不忘初心、牢记使命"主题教育活动之际，为了深入学习习近平新时代中国特色社会主义思想，学精悟透用好马克思主义理论，红旗出版社组织编写"大家写小书·马恩经典著作新读"系列丛书，笔者承担《读懂中国的理论基点——〈马克思恩格斯论中国〉新读》一书的撰写工作。

2019年10月1日，习近平总书记在庆祝中华人民共和国成立70周年大会上，向全国人民庄严宣告："今天，社会主义中国巍然屹立在世界东方，没有任何力量能够撼动我们伟大祖国的地位，没有任何力量能够阻挡中国人民和中华民族的前进步伐。"70年砥砺奋进，中华民族在中国共产党的领导下迎来从站起来、富起来到强起来的伟大飞跃，正在朝着伟大复兴的目标前进。这与马克思、恩格斯关于中国问题的论述，以及中国前途命运的预测不谋而合。本书对马克思、恩格斯关于中国问题的论述分四个方面进行阐释，研究了《马克思恩格斯论中国》的写作背景、主要内容、理论意义与历史意义、新时代现实意义等，着重分析了其主要内容，希望从关于近代中国社会经济结构的研判、关于对华鸦片贸易罪恶实质的披露、关于西方列强入侵中国行径的论析、关于中国人民反抗侵略斗争的论述、关于中国革命及其前途命运的预测以及关于对西方资产阶级新闻本质的揭露六个层面，来重新学习和领会《马克思恩格斯论中国》这一经典著作。

中国人民大学马克思主义学院博士研究生单文鹏参与了资料收集、写作和审校工作。相信本书尚有诸多不尽如人意之处，敬请读者不吝赐教！

王易

2019年10月8日于中国人民大学人文楼